Pour ta 1er Communion, Elisabeth
le 10 mai [illegible]

De maman & papa ♡♡♡

ISBN : 2-7470-1803-2
Dépôt légal : octobre 2005

Loi 49-956 du 16 juillet 1949 sur les publications destinées à la jeunesse.
N° d'impression : L97310
Impression et reliure : Pollina s.a., 85400 Luçon

Les grandes histoires de Jésus

Texte : M. Aubinais, G. Boulet, M.-H. Denis
Illustration : Michel Backès

Les auteurs et l'éditeur remercient tout particulièrement
François Mourvillier pour ses précieux conseils

BAYARD JEUNESSE

Pourquoi raconter des histoires de Jésus aux jeunes enfants ?

Parce que, quand on connaît la bonne nouvelle qu'il annonce et qu'il incarne, on ne peut pas ne pas vouloir la partager avec les enfants qui nous entourent.
Mais comment s'y prendre pour leur faire découvrir cette bonne nouvelle à travers un livre ? Comment leur donner accès à ces histoires incroyables sans étouffer leur questionnement qui bien souvent nous prend au dépourvu ?

D'abord, ce sont bien des histoires de Jésus que nous avons souhaité présenter aux enfants, et non un récit complet de sa vie, voire celui de sa sagesse ou de sa révélation d'une loi divine. Car ces 20 histoires de Jésus sont tout cela à la fois : des moments de sa vie et des paroles rapportées qui nous parlent de l'amour de Dieu pour l'homme. Ils nous disent que Dieu nous a donné sa parole, une parole vivante qui est une personne : son fils, le Christ, qui est aussi un homme, qui a vécu, comme nous.

Il nous a fallu choisir nos textes parmi ceux des quatre évangiles. Nous l'avons fait en fonction de leur importance dans la vie du Christ, ou de leur proximité avec la vie des enfants. Nous avons travaillé en équipe d'auteurs, parents, théologiens, en recherchant toujours l'équilibre entre le respect fidèle des évangiles et une traduction capable de parler aux enfants.

Pour traduire ces récits, nous avons opté pour la bande dessinée. L'image constitue en effet un langage d'une portée considérable pour des enfants qui ne savent pas encore lire. Et c'est cela qui nous a conduits au choix de dessins à la fois vivants et spirituels, sobres et sensibles.

Et nous avons inventé Paul, un chrétien d'aujourd'hui, un peu savant, et Sarah, sa filleule, curieuse et directe, qui commentent ensemble les évangiles. Leurs propos rapportés dans des bulles signifient clairement qu'ils n'appartiennent pas au récit évangélique. Cette présentation a l'avantage de proposer une distinction entre les textes, parfois difficiles, provocants ou mystérieux, et leur interprétation, qui donne des clés pour les comprendre. Elle permet de respecter ce qui interroge, sans abandonner les enfants à l'épaisseur, voire l'opacité du texte.

Alors que ces belles histoires de Jésus ouvrent les enfants, et nous avec eux, à la recherche du visage de Dieu et à la grâce de sa rencontre.

Marie Aubinais

Sommaire

p. 50 Jésus vient chez Zachée

Dieu se révèle aux hommes, au plus profond de leur être, s'ils veulent l'accueillir. La rencontre de Jésus transforme Zachée, qui décide de changer sa vie, c'est-à-dire de partager ses biens. Jésus aime chacun comme il aime Zachée.

p. 54 La tempête apaisée

Jésus apaise l'homme en restant à ses côtés. La tempête est le symbole des épreuves rencontrées par ceux qui ont choisi de croire en Dieu et en son fils. Alors que Dieu semble parfois absent, ce texte nous dit : priez, criez, appelez ; lui qui semble si loin est tout proche en vérité.

p. 58 La dispute des disciples

Qu'est-ce qu'être grand ? C'est se mettre au service des autres, et notamment des plus petits, dit Jésus. À son époque, les enfants sont peu considérés, Jésus les réhabilite en mettant l'un d'eux au milieu de ses amis, faisant ainsi symboliquement place aux plus petits, aux plus fragiles.

p. 62 Laissez venir à moi les petits enfants

Soyons confiants en Dieu à la manière des enfants, radicalement. Jésus Christ nous invite à cette confiance candide : croire que Dieu ne veut rien d'autre que notre bonheur. Et savoir qu'il aime chacun quel qu'il soit, grand ou tout petit.

p. 66 L'aveugle de Jéricho

La foi nous sauve ! L'aveugle Bartimée représente la confiance absolue en Dieu et en la vie. Il croit en Jésus, et Jésus le libère de ce qui l'oppressait. Il ne s'agit pas de se bercer d'un optimisme béat, mais de s'appuyer sur la confiance profonde qui nous habite et de l'écouter.

p. 70 La parabole des talents

Accéder au bonheur de la maîtrise de sa vie : c'est ce que propose le maître dans cette parabole. Jésus nous parle peut-être ici d'un maître – Dieu –, de serviteurs libres – les hommes –, et de la relation de « ressemblance » qui les relie.

p. 74 Y a-t-il des bons et des mauvais ?

Nous sommes tous bons et mauvais à la fois. Regarder l'autre comme son frère, c'est accueillir son humanité. C'est le considérer pour ce qu'il est, non pour ce qu'il a fait, ou ce qu'il paraît être, cela non pour être bien jugé, mais pour la joie que procure cette relation.

p. 78 Jésus meurt, Jésus ressuscite

Le mensonge, la haine, la méfiance, la lâcheté… ont conduit Jésus à la mort. Il a pardonné et continue aujourd'hui. Sa mort témoigne de la force du mal dans le monde, mais sa résurrection annonce que le dernier mot est à l'amour et à la vie.

p. 84 Thomas ne peut croire sans voir

Connaître Jésus est avant tout une démarche de confiance et d'abandon. La foi ne se construit pas sur des certitudes. Il existe une vérité qui ne se découvre qu'à travers la connaissance de notre monde intérieur. Dieu nous laisse libres de croire.

p. 88 La Pentecôte

Jésus est mort, mais il n'est pas absent. Son Esprit a été donné aux apôtres, comme à tout baptisé, pour qu'ils témoignent de la parole de Dieu.

Les Béatitudes

Matthieu 5,1-11

Comment on peut savoir ce qui rend heureux ?

Jésus nous a laissé un message étonnant pour nous dire ce qui rend heureux...

Jésus marchait sur les routes de son pays, et beaucoup de gens le suivaient pour écouter ce qu'il disait. Un jour, Jésus se dirigea vers la montagne. Il s'assit, et les gens s'installèrent près de lui. Il leur parla.

Il dit ceci :

« Heureux ceux qui ont un cœur de pauvre, car le Royaume de Dieu est à eux. Heureux ceux qui savent pleurer, car ils seront consolés par Dieu. Heureux les doux, car la Terre sera à eux. Heureux ceux qui font confiance à Dieu, car Dieu sera dans leur cœur. »

Quelle drôle de façon d'être heureux... Je ne comprends pas très bien ce qu'il veut dire.

Jésus ne nous demande pas d'aimer la misère ou le chagrin. Mais il dit que, si nous vivons avec simplicité, si nous sommes attentifs aux peines des autres, si nous ne sommes pas violents, si nous faisons confiance à Dieu, alors nous trouverons la vraie joie.

Puis Jésus dit encore :
« Heureux ceux qui construisent la paix, car ils seront vraiment enfants de Dieu.
Heureux ceux qui ont faim et soif de justice, car Dieu la leur donnera. Heureux ceux qui veulent la justice, même si cela leur crée des ennuis, car le Royaume de Dieu est à eux. »

Et là, qu'est-ce qu'il veut dire vraiment ?
Cette fois, Jésus nous dit que, si nous essayons de rendre le monde meilleur, même si c'est difficile, cela nous rendra heureux.

Et Jésus dit aussi :
« Heureux ceux qu'on méprise et qu'on déteste parce qu'ils sont mes amis, car ils sont grandement aimés de Dieu. »

Mais personne n'a envie d'être détesté !
Non, c'est vrai. Mais être ami de Jésus, être bon, chercher la justice, ça ne plaît pas toujours à tout le monde. Pourtant, c'est cela qui rend heureux, au plus profond de nous. Voilà le bonheur auquel Jésus nous invite.

Lève-toi et marche !

Luc 5,17-26

C'est vrai que Jésus guérissait les malades ?
Oui. Et tu sais pourquoi il les guérissait ? Écoute cette histoire de l'Évangile...

Un jour, dans une maison, Jésus parle de Dieu son Père.
Une grande foule est venue pour l'écouter et il n'y a plus de place près de lui.

Ça veut dire quoi, paralysé ?
Ça veut dire qu'il ne peut plus marcher, qu'il est bloqué.

Des hommes arrivent alors.
Ils portent un homme paralysé, allongé sur une natte.

Les hommes veulent absolument le présenter à Jésus pour qu'il le guérisse. Mais il y a trop de monde.

Alors ils montent sur le toit de la maison.

Ils écartent les branchages pour faire un trou dans le toit. Puis ils font descendre le paralysé juste devant Jésus, car ils sont sûrs que Jésus pourra le guérir !

Quand Jésus voit la confiance que ces hommes ont en lui, il dit au paralysé : « Tes fautes sont pardonnées ! »

Mais il n'a pas fait de fautes, le monsieur ! Il est juste malade !
C'est vrai. Mais, au temps de Jésus, on pensait que, si quelqu'un était malade, c'était parce qu'il avait fait quelque chose de mal...

Quelques chefs religieux sont en colère. Ils pensent : « Pour qui se prend-il, ce Jésus ? Il n'y a que Dieu qui a le droit de pardonner les péchés ! Ce Jésus insulte Dieu ! »

Jésus comprend ce que ces chefs religieux pensent.

Il leur dit : « Est-il plus facile de dire : "Tes péchés sont pardonnés !" ou "Lève-toi et marche !" ? »

Ce n'est pas du tout pareil ! Pourquoi Jésus dit ça ?
Pour Jésus, je crois que c'est un peu pareil : pardonner, c'est donner envie de repartir.

Puis Jésus dit : « Je vais vous montrer que mon Père m'a envoyé pour que je pardonne les péchés ! »

Et pour prouver qu'il a le pouvoir de pardonner les péchés, Jésus montre qu'il peut aussi guérir le paralysé en disant : « Lève-toi et rentre chez toi. »

Alors le paralysé se lève, il prend sa natte et il part en chantant : « Dieu est grand ! »

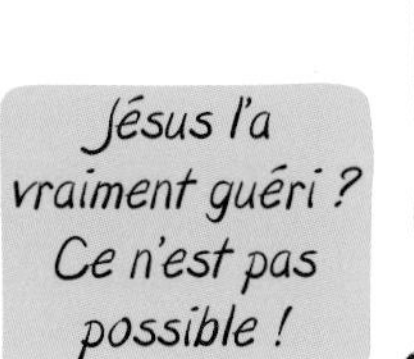
Jésus l'a vraiment guéri ? Ce n'est pas possible !

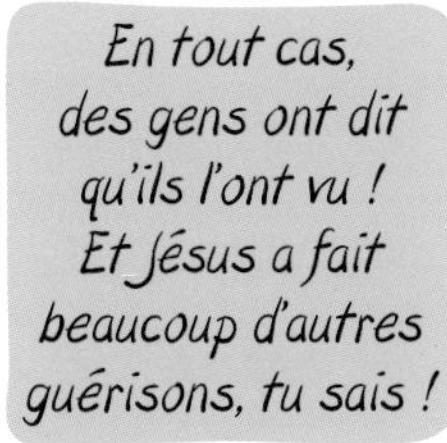
En tout cas, des gens ont dit qu'ils l'ont vu ! Et Jésus a fait beaucoup d'autres guérisons, tu sais !

Tous les gens qui sont là sont très étonnés. Ils disent : « Nous n'avons jamais vu ça ! C'est extraordinaire ! »

Cette histoire nous dit que Jésus voulait montrer à tout le monde que Dieu peut soigner tout ce qui nous empêche d'avancer dans la vie.

Jésus appelle Matthieu

Marc 2,13-17

Comment il les a choisis, ses amis, Jésus ?
Ça dépend ! Il ne les a pas tous choisis de la même façon ! Tiens, écoute cette histoire...

Un jour, au bord de la mer, Jésus parle à une foule.
Quand il a fini, il se lève et il s'en va.

Jésus passe devant Matthieu, un homme qui fait payer des impôts. Personne ne veut parler avec Matthieu.

Mais pourquoi personne ne lui parle ?
Parce qu'il travaille pour les Romains, des ennemis qui ont envahi le pays.

Quand Jésus voit Matthieu,
il lui dit : « Suis-moi ! »

Aussitôt, Matthieu se lève.
Il quitte son bureau et il suit Jésus.

Le lendemain, Matthieu convie Jésus à un grand repas. Il invite aussi les amis de Jésus et ses propres amis, des gens mal vus dans la ville.

À table, les amis de Jésus et les amis de Matthieu font connaissance.
Ils sont heureux de pouvoir manger, boire et discuter ensemble.

Mais, pendant le repas, des hommes très religieux passent par là.
C'est alors qu'ils voient Jésus manger avec Matthieu et ses amis…

Ils crient : « Quoi ? Jésus mange avec ces voleurs, avec des vauriens ? »

Qu'est-ce que ça peut leur faire ?
Eh bien, ils pensent que fréquenter ces gens, c'est devenir mauvais.

Mais Jésus entend
les paroles des religieux.

Alors, il sort de la maison
pour aller les voir et il leur dit :

« Je suis venu pour tous ceux qui ont besoin de moi, car dans la vie, ce sont les malades qui ont besoin des médecins, pas les gens qui vont bien. »

Ceux à qui Jésus avait parlé se disent : « Décidément, cet homme est bizarre, il ne parle pas comme nous ! »

Jésus a appelé
Matthieu pour
qu'il soit son ami.
Et Matthieu l'a suivi.
Jésus aime ceux que
les autres trouvent
mauvais, car les
« mauvais » peuvent
être meilleurs
que ceux qui se
croient bons.

Les noces de Cana

Jean 2,1-12

Est-ce que Jésus faisait la fête ?

Oui, il avait une vie comme tout le monde. Il avait des amis. Un jour, il a été invité à un mariage...

Dans la ville de Cana, près de l'endroit où habite Jésus, de grandes noces sont célébrées.

Jésus est invité avec ses amis et avec Marie, sa mère.

Toute la famille et les amis des mariés arrivent, et la fête commence !

Soudain, l'intendant qui a organisé le repas découvre qu'il n'y a plus du tout de vin pour continuer la fête. C'est la catastrophe !

Marie prévient son fils. Elle lui dit : « Ils n'ont plus de vin ! »

Pourquoi Marie dit à Jésus qu'il n'y a plus de vin ? Il l'a bien vu tout seul !
Oui… mais elle espère qu'il pourra faire quelque chose.

Puis Marie va dire aux serviteurs : « Faites tout ce qu'il vous dira ! »

Il y a là six jarres
vraiment très grandes.

Jésus dit aux serviteurs :
« Remplissez d'eau ces jarres. »

Puis il leur dit : « Maintenant, remplissez vos cruches avec ce qu'il y a dans les jarres
et allez en porter à l'intendant. »

L'intendant goûte ce qui lui est apporté.
Ce n'est plus de l'eau… mais du très bon vin.

Mais enfin, pourquoi c'est du vin ? Au début, c'était bien de l'eau !
Oui, mais quand Jésus est là, ça change tout !

L'intendant dit au jeune marié : « C'est drôle, d'habitude on sert le bon vin en premier, mais toi, tu as gardé le meilleur pour la fin ! »

Les amis de Jésus, voyant ce signe étonnant, se mettent à croire en lui et à le suivre.

Ce jour-là, à travers ce signe extraordinaire, Jésus invite tous les hommes à croire qu'il est très grand, qu'il est le Fils de Dieu.

Jésus et la loi

Marc 2,23-28

Dis, Paul, est-ce qu'il faut toujours obéir ?
Il faut savoir à quoi et à qui on obéit, et pourquoi. Écoute cette histoire de Jésus...

Un jour, Jésus marchait à travers champs avec ses disciples.
C'était un jour de sabbat.

C'est quoi, le sabbat ?
Jésus était juif, et dans cette religion le sabbat est un jour consacré à Dieu, où il ne faut rien faire.

Les disciples se mirent à arracher des épis de blé, pour les manger, car ils avaient faim.

Et voilà qu'ils croisèrent des pharisiens. Ceux-ci dirent à Jésus : « Regarde ce qu'ils font un jour de sabbat, ce n'est pas permis. »

Les pharisiens, c'est qui ?
Les pharisiens étaient des gens qui voulaient obéir parfaitement à la loi de la religion. Les chefs religieux étaient des pharisiens.

Jésus, qui connaissait très bien l'histoire de son peuple, répondit aux pharisiens :
« Ne savez-vous pas ce qu'a fait le grand roi David ? »

Puis Jésus raconta : « Un jour, David entra dans la maison de Dieu, avec ses compagnons, et ils mangèrent les pains offerts à Dieu, tant ils avaient faim. »

Pourquoi il leur a raconté cette histoire ?
Il raconte tout simplement comment un grand croyant juif a choisi de ne pas respecter une coutume parce que cela permettait à des hommes affamés de vivre.

Jésus leur dit encore : « Le sabbat a été fait pour l'homme, et non pas l'homme pour le sabbat. »

Qu'est-ce que ça veut dire exactement ?
Cela veut dire que Dieu a donné une loi pour que nous vivions bien ensemble, en accord avec lui, mais pas pour nous empêcher de vivre. Il faut obéir avec intelligence.

Jésus, il savait tout d'avance, alors la vie, ça devait être facile pour lui !

Écoute cette histoire, Sarah, et tu vas voir si c'était facile pour Jésus !

Les tentations dans le désert

Luc 4,1-13

Jésus s'était fait baptiser par Jean-Baptiste. Ce jour-là, le ciel s'était ouvert, et il avait entendu Dieu son Père lui dire : « Tu es mon Fils bien-aimé. »

Alors l'Esprit saint, le souffle de Dieu, l'avait conduit dans le désert.

Dans le désert ? Pourquoi ?
Parce que le désert est un bon endroit pour prier et réfléchir.

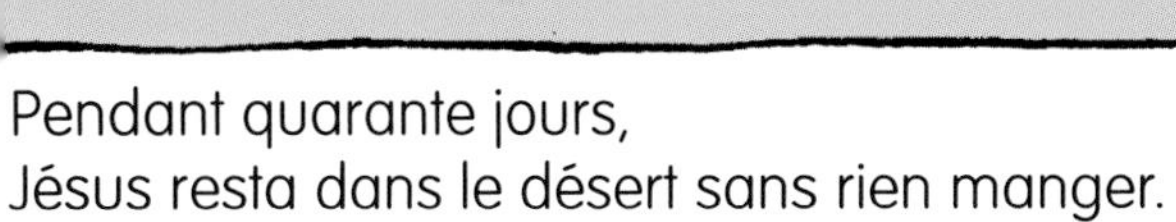

Pendant quarante jours,
Jésus resta dans le désert sans rien manger.

Pourquoi il ne mange rien ?
Parce qu'il veut se nourrir uniquement de la Parole de Dieu.

ésus eut faim et il fut tenté
ar l'esprit du mal.

D'abord, le diable lui dit : « Si tu es Fils de Dieu,
ordonne à cette pierre qu'elle devienne du pain. »

Le diable,
veut nourrir
Jésus ?
Non, il veut faire craquer Jésus...

Mais Jésus répondit : « Dans les livres de la Loi,
il est écrit : L'homme ne vit pas seulement de pain. »

Mais pourtant, il faut bien manger pour vivre...
Bien sûr, mais Jésus croit que l'on vit aussi de l'amour de Dieu.

Et Jésus continua de marcher dans les sables du désert.

Le diable fit apparaître devant Jésus tous les royaumes de la Terre. Alors, le diable dit : « Ceci m'appartient. Si tu m'adores, je te le donnerai ! »

Wouah ! Jésus va devenir le maître du monde !
Pour cela, il faudrait qu'il devienne l'esclave du diable !

Jésus répondit : « Dans les livres de la Loi, il est écrit : Tu n'adoreras que Dieu. »

Alors le diable fit croire à Jésus qu'il était sur le toit du Temple.
Et il lui dit : « Si tu es Fils de Dieu, jette-toi en bas ! Dieu te sauvera ! »

Il veut que Jésus se tue ?
Non, il veut que Jésus ne sache plus s'il peut faire confiance à Dieu ou pas.

Mais Jésus lui répondit : « Il est écrit :
Tu ne dois pas tenter le Seigneur ton Dieu. »

Comme le diable ne savait plus comment tenter Jésus,
il s'éloigna en se disant qu'il réussirait plus tard.

Ce texte nous dit que,
comme tous
les hommes,
Jésus a été tenté
de faire le mal.
Mais il a choisi
de se laisser guider
par l'Esprit saint
et par la parole
de Dieu.

Jésus, les animaux et les fleurs

Matthieu 6,25-34

Est-ce que Jésus aimait les animaux ?
Ça, je ne sais pas ! Mais il a parlé d'eux, comme pour les donner en exemple. Écoute cette histoire...

Jésus était avec une foule de gens, sur la montagne. Ces gens vivaient dans un pays où il fallait travailler durement pour gagner sa vie. Beaucoup d'entre eux étaient pauvres.

Pourtant, Jésus leur disait : « Vous vous faites bien trop de soucis pour la vie de tous les jours. Vous vous demandez : Qu'allons-nous manger ? Comment allons-nous nous habiller ?

Prenez le temps de regarder les oiseaux du ciel. Ils ne sèment aucune graine, ils ne moissonnent pas, et pourtant Dieu les nourrit. »

Jésus disait encore : « Prenez le temps de regarder les fleurs des champs. Elles ne se fatiguent pas à fabriquer des tissus et pourtant, elles sont plus belles que le roi Salomon lui-même, dans toute sa splendeur ! »

Et il ajoutait : « Dieu, notre Père, sait bien que vous devez travailler pour vous nourrir et vous habiller ! Mais cherchez d'abord à aimer Dieu et votre prochain, et le reste vous sera donné en plus ! »

C'est bien d'aimer Dieu, mais, si on n'a pas à manger et que l'on souffre, tu crois qu'on pense à lui ?

En tout cas, si on aime Dieu et que l'on cherche à vivre comme il nous le demande, alors on pense aux autres. Et, si on partageait, tout le monde aurait à manger.

La maison sur le roc

Luc 6,47-49

Est-ce qu'on est plus fort quand on écoute Jésus ?
Voici ce que Jésus racontait. C'est l'histoire de deux hommes qui construisent chacun leur maison...

Le premier homme construit sa maison. Pour cela, il choisit un endroit où le sol est dur et solide afin que sa maison tienne bien.

Il creuse profondément pour poser les fondations de sa maison.

C'est quoi, les fondations ?
Ce sont les parties de la maison qu'on ne voit pas et qui lui permettent de tenir debout.

La maison du premier homme est une maison solide,
avec des murs bien plantés dans le roc.

Un jour, la pluie tombe, le vent souffle, c'est la tempête !
Le torrent se jette contre cette maison.

Ah oui ! C'est grâce aux fondations !

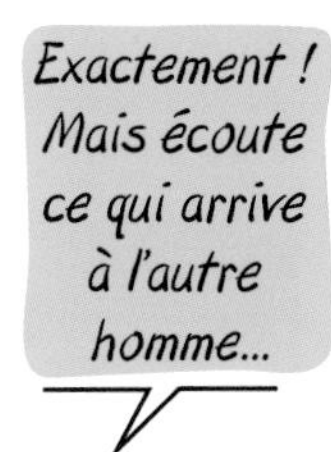
Exactement ! Mais écoute ce qui arrive à l'autre homme...

Et la maison ne s'écroule pas,
parce qu'elle a été construite pour résister.

Le deuxième homme construit sa maison.
Il la bâtit sur le sable, sans creuser de fondations.

Mais ce sont les mêmes maisons !
Apparemment, oui ! Mais tu vas voir la suite...

Un jour, la pluie tombe, le vent souffle.
C'est la tempête !

Le torrent se jette contre cette maison.
Aussitôt, la maison s'effondre et elle est détruite entièrement.

Par cette histoire, Jésus nous dit : « Celui qui ne fonde pas sa vie sur moi
est comme l'homme qui a posé sa maison sur le sable.

Mais celui qui fonde sa vie sur moi
est comme l'homme qui a construit sa maison sur le roc. »

La brebis égarée et la pièce perdue

Luc 15,3-10

Dieu,
il aime vraiment
tout le monde ?
Écoute
ces deux histoires
que Jésus racontait.
Tu me diras
ce que tu en penses...

Un berger a cent brebis. Tous les jours, il les fait paître dans la montagne.
Et le soir, il les compte pour voir si elles sont bien toutes là.

Mais, un soir, il s'aperçoit qu'il en manque une.

Il dit : « Comment faire ? Je ne peux pas laisser les autres brebis toutes seules ! »

Ça doit être une belle brebis, pour qu'il laisse toutes les autres !
Pas forcément. Mais ce berger les aime toutes, même les plus petites.

Pourtant, le berger part chercher sa brebis, en laissant les quatre-vingt-dix-neuf autres.

Et le berger cherche sa brebis, jusqu'à ce qu'il la retrouve.

Tout joyeux de l'avoir retrouvée, il la prend sur ses épaules et la ramène au troupeau.

De retour à la maison, il fait la fête avec ses amis. Il leur dit : « Ma brebis était perdue, je l'ai retrouvée ! »

Pourquoi Jésus raconte ça ?
Écoute encore, et tu vas comprendre...

Une femme a dix pièces d'argent. Dix pièces, ce n'est pas beaucoup, mais c'est son seul trésor.

Pourquoi elle les met autour de sa tête ?
Parce que, dans son pays, c'est un bijou.

Un matin, elle s'aperçoit qu'elle en a perdu une.

Elle se dit : « Même si ça me prend du temps, je retrouverai cette pièce ! »

Alors elle allume une lampe pour mieux voir.

Elle balaie partout, jusque dans les coins.

Tout ça pour une pièce ?
Oui. Elle y tient beaucoup.

Elle cherche, cherche, cherche
partout dans la maison.

La femme finit par retrouver sa pièce.
Ouf ! Quel soulagement !

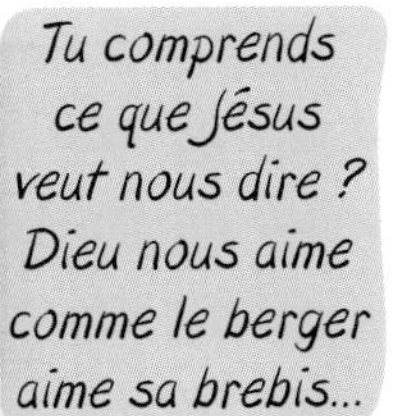
Tu comprends ce que Jésus veut nous dire ? Dieu nous aime comme le berger aime sa brebis...

...et comme la femme aime sa pièce !

Toute joyeuse, la femme court alors
inviter ses amies et ses voisines.

Ensemble, elles font la fête. Et la femme leur dit :
« J'avais perdu ma pièce, et je l'ai retrouvée ! »

Le berger est joyeux,
car il a retrouvé
sa brebis. Et la pauvre
femme est joyeuse,
car elle a retrouvé
sa pièce. Dieu est
comme ces personnes.
Quand on est loin
de lui, il nous cherche,
et il est heureux
de nous retrouver.

La parabole des deux fils

Luc 15,11-32

Pourquoi Dieu, il veut toujours qu'on pardonne ?
Écoute cette histoire que Jésus racontait. Peut-être qu'elle te donnera une réponse...

Un homme a deux fils. Un jour, le plus jeune dit : « Père, quand tu seras mort, j'aurai droit à une partie de ce que tu as. Moi, je veux ma part tout de suite ! »

Pourquoi il la veut tout de suite ?
Parce qu'il a envie d'avoir de l'argent pour faire ce qui lui plaît.

Le père partage tout ce qu'il a entre ses deux fils. Avec son argent, le plus jeune s'en va très loin.

Loin de chez lui, il vit n'importe comment. Il dépense tout son argent et passe tout son temps à boire et à faire la fête.

Mais bientôt, il est ruiné !

Il a tellement faim qu'il mangerait même la nourriture des cochons qu'il garde. Mais personne ne lui en donne !

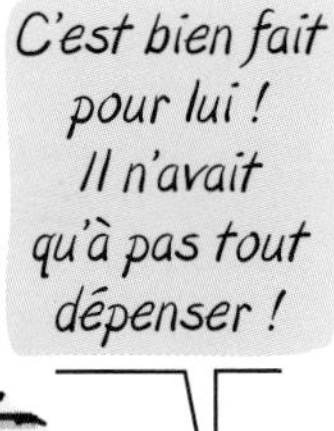
C'est bien fait pour lui ! Il n'avait qu'à pas tout dépenser !

Alors, il pense : « Je vais retourner travailler chez mon père. Au moins, j'aurai à manger. Je lui dirai : "Je t'ai fait du mal et j'ai fait du mal à Dieu. Pardonne-moi !" » Et il s'en va.

De loin, son père l'aperçoit. Il court vers lui pour l'accueillir et l'embrasser.

Le fils dit : « Père, avec tout ce que j'ai fait, je ne mérite plus d'être ton fils. »

Mais le père dit à ses serviteurs : « Vite ! Apportez-lui un vêtement, une bague et des sandales. Faisons une fête ! »

Pourquoi le père est si content ?
Parce qu'il croyait que son fils ne reviendrait jamais le voir

Les serviteurs préparent alors un grand festin, et la fête commence. Le père crie : « Mon fils était mort, et le voilà vivant ! Il était perdu, et il est retrouvé ! »

Le soir, le fils aîné rentre des champs. Un serviteur lui dit : « Il y a une fête chez ton père, car ton frère est revenu ! »

Le fils refuse d'entrer et se met en colère.

Pourquoi il est en colère ?
Je crois qu'il ne comprend pas bien que son père soit content...

Il dit à son père : « Moi, je t'ai toujours obéi et tu n'as jamais fait de fête pour moi ! »

Son père le supplie d'entrer : « Toi, tu es toujours avec moi. Mais ton frère était perdu, et il est retrouvé ! »

Dans ce texte, le père, c'est Dieu. Il aime et pardonne tous ses enfants : ceux qui restent près de lui et ceux qui le quittent. Il voudrait que tous soient heureux d'être ensemble ses enfants.

Jésus vient chez Zachée

Luc 19,1-10

Qu'est-ce que ça change d'accueillir Jésus ?
Écoute, je vais te raconter une histoire...

Un jour, Jésus arrive dans une ville appelée Jéricho.

Un homme survient. Il est riche,
c'est le chef des collecteurs d'impôts.

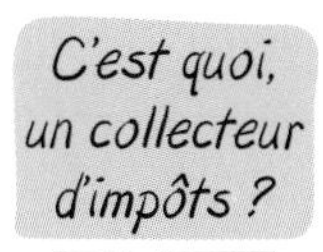
C'est quoi, un collecteur d'impôts ?

C'était quelqu'un qui ramassait une partie de l'argent des gens, pour le pays. Il était détesté, et on disait qu'il était voleur.

Cet homme s'appelle Zachée. Il veut voir Jésus,
mais il ne le peut pas, parce qu'il est petit.

Pourquoi il y avait tant de monde autour de Jésus ?

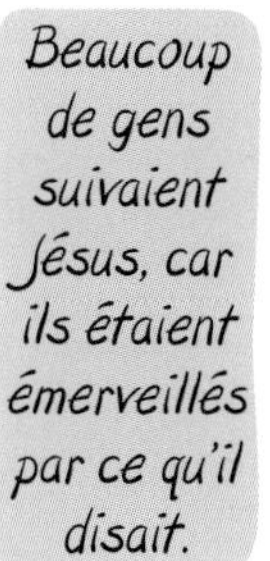
Beaucoup de gens suivaient Jésus, car ils étaient émerveillés par ce qu'il disait.

Zachée court donc en avant et monte sur un arbre pour voir Jésus passer.

Arrivé devant l'arbre, Jésus lève les yeux et dit à Zachée : « Zachée, descends vite, car je dois demeurer chez toi aujourd'hui. »

Pourquoi Jésus veut-il aller justement chez Zachée ?
Peut-être parce que c'est le plus petit, ou peut-être parce qu'il a vu Zachée courir devant et tout faire pour le voir.

Vite, Zachée descend de son arbre.

Et il invite Jésus avec joie. En voyant ça, les gens murmurent : « Jésus va chez un voleur ! »

Zachée, lui, dit au Seigneur : « Je vais donner la moitié de ce que j'ai aux pauvres. Et si j'ai volé quelque chose à quelqu'un, je lui rendrai quatre fois plus. »

Pourquoi Zachée dit ça ?
Il est bouleversé. Personne ne l'aimait, et Jésus se fait son ami. Alors, il devient généreux.

Jésus dit : « Aujourd'hui, cette maison a été sauvée. Personne n'est perdu pour toujours...

... car l'envoyé de Dieu est venu chercher et sauver ce qui était perdu. »

Cette histoire nous dit que Jésus est toujours prêt à venir dans notre maison, c'est-à-dire notre cœur, si on veut l'accueillir. Quand on désire connaître Jésus, quand on l'accueille en nous, il nous sauve de nos peurs et de nos tristesses.

La tempête apaisée

Marc 4,35-41

Les amis de Jésus, ils ont toujours eu confiance en lui ?
Écoute, l'Évangile raconte cette histoire...

Un jour, comme beaucoup d'autres jours, Jésus est au bord du lac de Galilée. Une foule est rassemblée autour de lui pour l'écouter parler de l'amour de Dieu.

Le soir venu, Jésus dit à ses disciples : « Passons de l'autre côté du lac. »

Ensemble, ils quittent la foule et partent dans une barque.

Mais, au beau milieu du lac, un grand tourbillon de vent survient. Des vagues énormes se jettent sur la barque de Jésus et de ses disciples.

Très vite, la barque se remplit d'eau. Les disciples s'affolent.

Mais Jésus, lui, est à l'arrière de la barque. Sur un coussin, il dort.

Comment il arrive à dormir, avec cette tempête ?
Il devait être fatigué, et puis il savait que ses disciples étaient de bons marins.

Ses disciples le réveillent. Ils lui disent :
« Maître, nous allons tous mourir, et toi, tu dors ? »

Alors, Jésus se lève. Il se met à menacer le vent
et ordonne à la mer : « Silence ! Tais-toi ! »

Tout à coup, le vent tombe
et la mer devient toute calme.

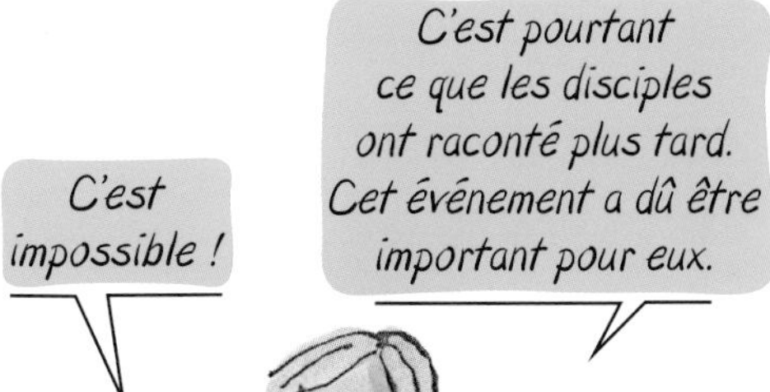
C'est impossible !
C'est pourtant ce que les disciples ont raconté plus tard. Cet événement a dû être important pour eux.

Jésus dit à ses disciples : « Pourquoi avez-vous si peur ?
Vous n'avez pas confiance en moi ? Où est votre foi ? »

Les disciples sont tout retournés. Ils disent :
« Mais qui est-il pour que le vent et la mer lui obéissent ? »

Ce récit
nous dit,
à nous aussi,
qu'être disciple
de Jésus,
c'est découvrir
que sa présence
calme
nos peurs.

La dispute des disciples

Marc 9,33-39

Est-ce qu'il y a des hommes plus importants que d'autres ?
Tu sais que les apôtres se posaient la même question ! Écoute...

Sur le chemin de Capharnaüm, les disciples de Jésus se disputent pour savoir lequel d'entre eux est le plus important : « C'est moi ! » « Non, c'est moi ! »

Quand ils arrivent à la maison, Jésus leur demande : « De quoi discutiez-vous sur le chemin ? » Mais les disciples se taisent.

Ils savent bien que leur dispute est ridicule.
Pourquoi ils ne veulent pas lui dire ?

Alors, Jésus s'assied et demande aux douze disciples de s'asseoir autour de lui.

Il leur dit : « Si quelqu'un veut être le plus important, il ne doit pas vouloir être le chef, mais le serviteur de tous les autres. Il doit vouloir être le dernier. »

Non loin de là, des enfants s'amusent...

Jésus appelle l'un d'eux. Alors, un enfant s'approche.

Jésus le place au milieu des disciples et il le serre dans ses bras.

Puis il dit : « Si vous accueillez un petit enfant comme cela, c'est moi que vous accueillez. »

Mais, Jésus, ce n'est pas un enfant !
Non ! Mais, à cette époque, les enfants ne devaient pas se mélanger avec les grands. Là, Jésus leur donne une place avec eux.

Et il leur dit encore : « Et si vous m'accueillez, c'est Dieu mon Père que vous accueillez. »

Après cela, les disciples ont honte de s'être disputés et ils comprennent comment être de vrais disciples.

Jésus voulait dire à ses disciples que, pour suivre Dieu, il ne faut pas chercher à être le chef. Il faut plutôt chercher à trouver sa place en donnant le meilleur de soi-même.

Laissez venir à moi les enfants

Marc 10,13-16

Est-ce que Jésus a eu des enfants ?
Non, mais il les aimait beaucoup ! Tu vas voir !

Un jour, une grande foule se rassemble pour écouter ce que dit Jésus.

Des gens amènent des enfants à Jésus pour qu'il pose la main sur eux.

Mais les disciples les renvoient énergiquement.

Pourquoi les disciples font ça ? Ils n'aiment pas les enfants ?
Si, mais ils pensent sans doute que les enfants peuvent gêner ceux qui écoutent Jésus.

En voyant cela, Jésus se fâche.

Jésus dit aux disciples : « Laissez venir à moi les enfants !

Ne les empêchez pas de me rejoindre ! »

Il ajoute : « En effet, le Royaume de Dieu est à ceux qui ressemblent aux enfants ! »

Mais, qu'est-ce que c'est, le Royaume de Dieu ?

Le Royaume de Dieu est partout où on est avec Dieu. Dans notre cœur ou quand on est ensemble.

Jésus dit : « Celui qui ne sait pas faire confiance à Dieu comme un enfant n'entre pas dans son Royaume. »

Et Jésus embrasse les enfants.

Puis il les bénit et il prie Dieu de leur faire du bien.

Cette histoire
nous dit ceci :
Dieu est toujours
du côté des plus petits
et des plus fragiles,
et chacun a beaucoup
d'importance,
même quand
cela ne se voit pas.

L'aveugle de Jéricho

Marc 10,46-52

Jésus guérissait les gens. Il était très fort alors ?
Tu veux savoir ? Écoute cette histoire...

Un jour, Jésus sort de la ville de Jéricho
avec ses disciples et toute une foule qui les accompagne.

Sur le bord du chemin, un homme aveugle, Bartimée, est assis. Il mendie.

C'est quoi, mendier ?
C'est demander de l'argent pour pouvoir vivre quand on n'a pas de quoi manger.

Bartimée entend la foule marcher. Il demande : « Qu'est-ce que c'est ? »

On lui dit : « C'est Jésus, l'homme de Nazareth, qui passe par ici ! »

Alors, l'aveugle se met à crier : « Fils de David, aie pitié de moi ! »

Mais Jésus, ce n'est pas le fils de David !
C'est pour dire que Bartimée sait que Jésus a été choisi par Dieu, comme le roi David avant lui.

Parmi ceux qui suivent Jésus,
beaucoup veulent faire taire Bartimée.

Pourquoi veulent-ils qu'il se taise ?
À l'époque, les mendiants n'avaient pas le droit de parler. Ils étaient mal considérés.

Mais l'aveugle se met à crier encore :
« Fils de David, aie pitié de moi ! »

Alors, Jésus s'arrête
et il dit : « Appelez-le ! »

On dit à l'aveugle : « Courage, lève-toi, Jésus t'appelle ! » Alors, l'aveugle rejette son manteau, il bondit et vient tout près de Jésus.

Mais ce n'est pas possible !
Bartimée a confiance. Il sait que, pour Jésus, c'est possible.

Jésus lui dit : « Que veux-tu que je fasse pour toi ? »
« Seigneur ! répond l'aveugle. Rends-moi la vue ! »

Jésus lui dit :
« Va ! Ta confiance t'a sauvé ! »

Et aussitôt,
l'aveugle retrouve la vue.

Il se met alors à suivre Jésus
et à chanter sa joie.

Cette histoire
nous dit
peut-être
que Dieu désire
que nous soyons
heureux
et que celui
qui croit en lui
reçoit beaucoup.

La parabole des talents

Matthieu 25,14-30

Pourquoi il raconte des histoires, Jésus ?

Pour nous aider à comprendre ce qu'est la vie avec Dieu. Écoute, il raconte cette histoire...

Un homme part en voyage. Avant de partir, il appelle ses serviteurs et partage entre eux ce qui lui appartient.

À l'un des serviteurs, il donne cinq talents.

Qu'est-ce que c'est, un talent ?
Dans ce pays-là, c'est de l'argent, et un talent c'est déjà énormément d'argent.

Au deuxième serviteur, le maître donne deux talents.

Au troisième serviteur, il en donne un.
Le maître donne à chacun selon ses capacités.

Je ne comprends pas. Pourquoi il ne donne pas la même chose aux trois serviteurs ?
Le maître sait que les trois serviteurs sont différents, qu'ils ne sont pas capables des mêmes choses.

Aussitôt, celui qui a reçu cinq talents va travailler.

Celui qui a reçu deux talents va travailler aussi.

Mais celui qui a reçu un talent va enfouir l'argent sous la terre.

Pourquoi il cache l'argent ?
Parce qu'il n'a pas cru que le maître le lui donnait vraiment. Il a eu peur que le maître le lui redemande un jour.

Longtemps après, le maître passe.
Ses serviteurs lui racontent ce qu'ils ont fait.

Celui qui avait reçu cinq talents
dit : « J'en ai gagné cinq autres. »

« Très bien, dit le maître, tu as fait quelque chose
avec ce que je t'avais donné. Entre dans ma joie ! »

Pourquoi il est joyeux, le maître ?
Parce qu'il est heureux de voir que son serviteur n'a pas eu besoin de ses ordres pour se débrouiller.

Le serviteur qui avait reçu deux talents dit :
« Maître, moi, j'en ai gagné deux autres. »

Le maître lui répond aussi :
« Très bien, entre dans ma joie ! »

Il lui répond
même chose,
pourtant lui,
il a gagné
moins !
Pour le maître,
ce n'est pas
ce qu'il a gagné
qui compte, c'est
qu'il a bien utilisé
ce qu'il a reçu.

Le troisième serviteur dit au maître : « J'avais peur de toi, alors j'ai préféré cacher ton talent. Tiens, le voici. »

Le maître lui répond : « Serviteur peureux, si tu avais peur de perdre de l'argent, il fallait te faire aider pour l'utiliser. »

Le maître dit encore: « Retirez-lui son talent et donnez-le à celui qui en a dix. Car celui qui sait recevoir recevra encore, tandis que celui qui ne fait pas ce qu'il peut perdra ce qu'il a. »

Cette histoire
nous dit ceci :
le maître,
c'est Dieu.
Les talents,
c'est la vie.
Dieu nous donne
la vie pour
qu'on devienne
des inventeurs
de vie,
ni peureux,
ni paresseux,
mais joyeux.

Y a-t-il des bons et des mauvais ?

Matthieu 25,31-46

On dit qu'il faut aimer Dieu, mais ce n'est pas facile, on ne le voit pas !

Jésus nous a dit quelle était la vraie façon de l'aimer. Un jour, il était avec ses disciples et il leur a raconté ceci.

Quand l'envoyé de Dieu viendra, il rassemblera les hommes de tous les temps et il fera deux groupes.

Qui c'est, l'envoyé de Dieu ?
En fait, c'est Jésus.

L'envoyé de Dieu dira à ceux qui sont à sa droite : « Venez, les justes, venez vivre le bonheur.

Car j'ai eu faim, et vous m'avez donné à manger ; j'ai eu soif, et vous m'avez donné à boire ; j'étais étranger, et vous m'avez accueilli ; j'étais nu, et vous m'avez donné des vêtements ; j'étais malade, et vous m'avez visité ; j'étais prisonnier, et vous êtes venus me voir. »

Alors, les justes diront : « Seigneur, quand avons-nous fait tout cela pour toi ? »

Il répondra : « En vérité, chaque fois que vous l'avez fait à l'un de ces plus petits qui sont mes frères, c'est à moi que vous l'avez fait. »

Mais ce sont
les mêmes
que les justes !
Tu as raison,
mais écoute
la suite,
tu comprendras.

Puis l'envoyé de Dieu se tournera vers les maudits
et il leur dira de partir.

« Car j'ai eu faim, et vous ne m'avez pas donné à manger ; j'ai eu soif,
et vous ne m'avez pas donné à boire ; j'étais étranger, et vous ne m'avez
pas accueilli ; j'étais nu, et vous ne m'avez pas donné de vêtements ;
j'étais malade, et vous ne m'avez pas visité ; j'étais prisonnier,
et vous n'êtes pas venus me voir. »

Les maudits diront : « Seigneur, quand nous est-il arrivé de ne rien faire pour toi ? »

Et le Seigneur répondra : « En vérité, chaque fois que vous n'avez rien fait pour l'un de ces plus petits qui sont mes frères, c'est pour moi que vous n'avez rien fait. »

Alors, les maudits s'en iront vers la peine éternelle, et les justes s'en iront vers la joie éternelle.

Je crois que je comprends pourquoi ce sont les mêmes... C'est parce que chacun est à la fois bon et mauvais.
Tu as tout compris ! Et la peine et la joie éternelles, on les vit dès maintenant.

Jésus, en racontant cette histoire, annonce que tous les hommes sont frères et qu'il est le frère de tous, surtout des plus fragiles.

À Pâques, qu'est-ce qui s'est passé exactement, avec Jésus ?
Écoute, je vais te raconter...

Jésus meurt, Jésus ressuscite

Marc 14-16

Beaucoup de gens aimaient Jésus, car il guérissait des malades, et ses paroles faisaient du bien. Un jour, une grande foule l'accueille en criant : « Vive Jésus ! »

Mais les chefs religieux veulent le faire mourir.
Ils disent : « Qui est cet homme qui se prend pour Dieu ? »

Jésus, il était gentil, alors pourquoi il y a des gens qui ne l'aimaient pas ?
Parce que Jésus disait que Dieu est son Père. Cela choquait certaines personnes.

Deux jours plus tard, Jésus réunit ses amis pour un repas de fête.
Et il leur dit : « Bientôt, je ne serai plus parmi vous. »

Jésus sait que l'un de ses disciples, Judas, l'a trahi. Il sent qu'il va bientôt être arrêté.

Mais Judas était un ami de Jésus. Alors pourquoi il voulait lui faire du mal ?
Parce que Judas était déçu. Il attendait que Jésus devienne un roi très puissant. Mais Jésus n'était pas là pour ça.

Jésus prend du pain
et du vin. Il les bénit.

Puis il dit : « Ce pain est mon corps. Ce vin est mon sang.
Je vous les donne. Mangez et buvez. »

Après le repas, Jésus va prier dans un jardin.
Il a très peur de mourir et il est triste.

Soudain, Judas arrive. Des hommes le suivent. Ils veulent arrêter Jésus.

Ils viennent de la part des chefs religieux.
Ils sont armés, comme pour arrêter un bandit.

Judas s'approche de Jésus et l'embrasse sur la joue.

Pourquoi Judas embrasse Jésus ?
C'était un code entre Judas et ses amis, pour reconnaître Jésus et l'arrêter.

Alors, les hommes armés arrêtent Jésus et ils l'emmènent pour qu'il soit jugé.

Le lendemain, Pilate, le chef du pays, doit juger Jésus.

Il dit : « On t'accuse de vouloir être roi des Juifs. Qui es-tu vraiment ? » Mais Jésus ne répond pas.

Pourquoi Jésus ne répond pas ?
Peut-être qu'il savait que ce n'était pas la peine de se défendre.

Pendant ce temps, dehors, les ennemis de Jésus sont rassemblés. Ils crient : « À mort, Jésus ! »

La foule est tellement en colère que Pilate dit : « Vous pouvez tuer cet homme. »

Alors, des soldats emmènent Jésus sur une colline pour le faire mourir.

Jésus est cloué sur une croix. Des gens se moquent de lui :
« Si tu es le Fils de Dieu, tu n'as qu'à te sauver ! »

Pourquoi Jésus, il n'est pas parti de sa croix ?
Parce qu Jésus, qui est Fi de Dieu, est auss un vrai hom

Jésus souffre. Il crie à Dieu : « Mon Père,
ne m'abandonne pas ! » Puis il meurt.

Un soldat qui était là dit : « Vraiment,
cet homme était le Fils de Dieu. »

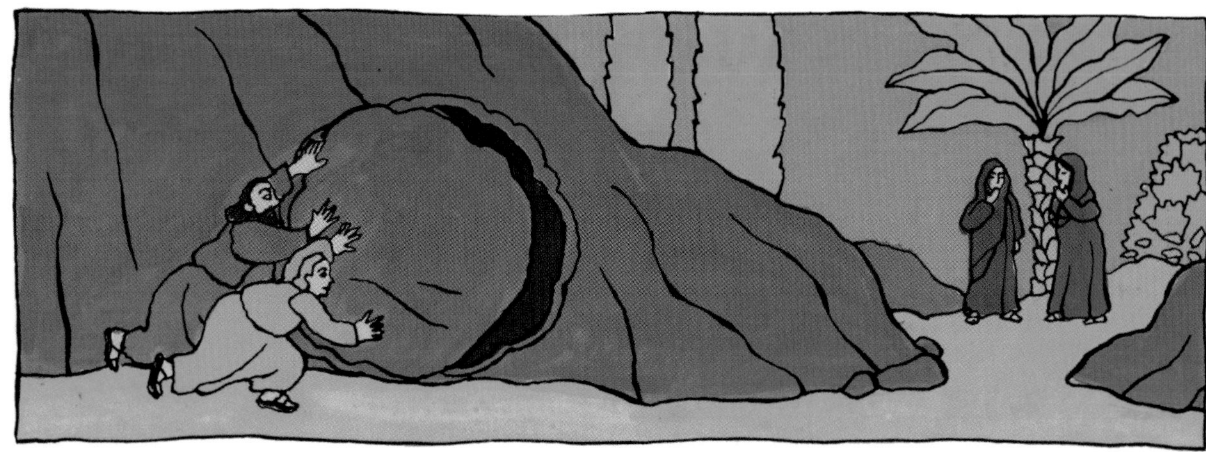

Des amis de Jésus déposent son corps dans un tombeau creusé dans la roche.
Ils ferment l'entrée avec une pierre très grosse et très lourde.

Trois jours après, des femmes qui aimaient Jésus vont porter des parfums au tombeau.

Pourquoi elles apportent des parfums à Jésus ?
À cette époque, c'était un signe d'amitié, comme des fleurs sur une tombe.

L'une dit : « Comment allons-nous faire pour pousser la pierre du tombeau ? »

Mais, devant le rocher, quelle surprise ! Le tombeau est ouvert et vide…

À l'intérieur, un ange dit aux femmes : « Jésus est ressuscité. Il est vivant ! Vivant ! »

Oui, c'est incroyable ! Jésus était bien mort, et pourtant il est ressuscité ! Maintenant, il est vivant avec nous et pour toujours.

Thomas ne peut croire sans voir

Jean 20,19-29

Les amis de Jésus, ils l'ont vu, eux ! Ils ont de la chance. C'était facile pour eux d'y croire.
Pas toujours, tu sais. Écoute ce qui s'est passé...

Les amis de Jésus se retrouvent le jour même de la résurrection de Jésus. C'est le soir. Ils se sont enfermés, car ils ont peur de ceux qui ont tué Jésus. Jésus vient les rejoindre.

Qu'est-ce que cela veut dire, la résurrection de Jésus ?
Tu sais, Jésus est mort sur la croix, mais trois jours plus tard, le jour de Pâques, plusieurs de ses amis l'ont vu vivant, ressuscité.

Jésus est au milieu d'eux.
Il leur dit : « La paix soit avec vous ! »

Puis il leur montre ses mains abîmées par les clous et son côté, blessé.
En voyant que c'est bien lui, ses amis sont remplis de joie.

Pourquoi sont-ils joyeux ?
Ils croyaient qu'ils avaient perdu Jésus pour toujours, et ils découvrent qu'il est vivant, au milieu d'eux !

Alors de nouveau Jésus leur dit :
« La paix soit avec vous ! »

Plus tard, les amis de Jésus retrouvent Thomas, qui n'était pas avec eux quand Jésus était venu les rejoindre. Ils lui disent : « Nous avons vu le Seigneur ! »

Thomas répond : « Si je ne vois pas ses mains avec la trace des clous, si je ne mets pas la main dans la blessure de son côté, alors non, je ne croirai pas que c'est bien lui. »

Une semaine après, les amis sont de nouveau réunis.
Et, cette fois, Thomas est bien là avec eux.

Alors que toutes les portes sont fermées à clé, Jésus vient les rejoindre.

Mais, si les portes étaient fermées à clé, par où est-il passé, Jésus ?
Sans doute Jésus ressuscité n'a-t-il plus un corps comme nous. On l'a reconnu, mais il est devenu vivant d'une autre manière.

Et Jésus dit à Thomas : « Touche les blessures de mes mains et celle de mon côté.
Tu vois, c'est bien moi ! Arrête de douter, crois en moi. »

Alors, Thomas s'écrie : « Tu es mon Seigneur et mon Dieu ! »

Et Jésus lui dit : « C'est parce que tu as vu
que tu crois ; heureux celui qui croit sans avoir vu ! »

Ce texte nous dit
qu'on peut connaître
Jésus autrement
qu'en le voyant.
Les chrétiens
d'aujourd'hui, quand
ils sont ensemble
pour écouter l'Évangile
ou pour prier, sont sûrs
que Jésus est présent
au milieu d'eux.

La Pentecôte : les apôtres reçoivent l'Esprit saint

Actes des apôtres 1-3

Après la mort de Jésus, que vont faire ses amis ?
Écoute, je vais te raconter...

À Pâques, Jésus est mort, puis il est ressuscité trois jours après. Depuis, ses disciples l'ont vu plusieurs fois. Ils lui ont même parlé !

Quarante jours après Pâques, alors que les disciples sont réunis pour prier…

… Jésus apparaît au milieu d'eux.

Il les emmène sur une colline proche de la ville. Quand ils arrivent tout en haut, Jésus leur dit : « Bientôt, je vais envoyer la force de l'Esprit saint sur vous. »

C'est quoi, l'Esprit saint ?
C'est le souffle d'amour que nous envoient Jésus et son Père.

Jésus ajoute : « Alors, vous irez parler de moi dans le pays et jusqu'au bout de la Terre ! »

À ces mots, il disparaît. Les disciples restent bouche bée. Ils voudraient en savoir plus, mais Jésus est parti aussi vite qu'il est arrivé !

Dix jours après, les disciples se réunissent pour la fête juive de la Pentecôte.
Tout à coup, dans la maison, ils entendent le bruit d'un grand coup de vent.

Puis des flammes de feu apparaissent…

... et se posent sur les disciples de Jésus.
C'est l'Esprit saint qui descend sur chacun d'eux.

Ça ne les brûle pas ?
Non ! Ce sont des flammes d'amour et de lumière.

Alors, les disciples sortent de la maison.
Tout joyeux, ils vont parler à la foule qui est dehors.

Ils les ont apprises à l'école ?
Non, justement... C'est ça qui est étonnant !

Remplis d'Esprit saint, les disciples se mettent à parler de Dieu dans des langues différentes…

Pierre, un ami de Jésus, dit : « Écoutez tous !

Jésus est ressuscité. Il est vivant. Il envoie son Esprit pour que vous deveniez des enfants de Dieu. »

Des gens qui l'écoutaient lui demandent : « Pierre, que devons-nous faire pour devenir des enfants de Dieu ? » Pierre répond : « Pour recevoir l'Esprit saint…

...faites-vous baptiser
au nom de Jésus ! »

Moi, je suis baptisée... Alors j'ai l'Esprit saint en moi ?
Oui, c'est ce qu'on a fêté le jour de ton baptême.

Ce jour-là, trois mille personnes sont baptisées.
Pour tous ces gens, c'est le début d'une vie nouvelle.

D'autres gens se font baptiser. Ils rejoignent les amis
de Jésus. Ensemble, ils forment une grande famille.

Cette grande famille, c'est l'Église ! Elle rassemble tous ceux qui croient que Jésus est vivant et qui accueillent l'Esprit saint donné par Dieu.